Marie-M. pepin

Marie-M. pepin

TOME 3 – LES SABLES D'ABRAXAR

SCÉNARIO
CHRISTOPHE ARLESTON
DESSIN
DIDIER TARQUIN
COULEURS
CLAUDE GUTH

SI VOUS N'AVEZ PAS ENCORE LU LE CYCLE DES AVENTURES DE LANFEUST DE TROY, IL EST SANS DOUTE JUDICIEUX DE FAIRE CONNAISSANCE AVEC NOS PRINCIPAUX PERSONNAGES...

LANFEUST EST NOTRE HÉROS. GRÂCE AU MYTHIQUE MAGOHAMOTH, CE GRAND DADAIS POSSÈDE D'IMMENSES POUVOIRS. DE JEUNE APPRENTI FORGERON UN PEU EMPOTÉ, IL EST DEVENU LE SAUVEUR DE SON MONDE ET PEUT-ÊTRE MÊME DE LA GALAXIE. MAIS IL EST TOUJOURS AUSSI TIMIDE ET IL NE SAIT PAS DIRE NON À SA FIANCÉE, LA BELLE CIXI.

CIXI, BELLE ET FAROUCHE BRUNETTE, EST UNE JEUNE FILLE DANGEREUSE. ELLE A PROUVÉ SON COURAGE ET SES TALENTS DE COMBATTANTE. CE QUI NE L'EMPÊCHE PAS D'ÊTRE COQUETTE, D'APPRÉCIER LA LÉGÈRETÉ, ET SURTOUT D'ÊTRE D'UNE JALOUSIE MALADIVE, DÈS QU'UNE AUTRE FILLE S'APPROCHE DE SON FIANCÉ LANFEUST.

HÉBUS EST UN TROLL... ET ÇA SE VOIT. CRÉATURE REDOUTABLE ET IMPITOYABLE, IL PEUT, D'UN SIMPLE COUP DE DENTS, BRISER LES OS DE N'IMPORTE QUEL DRAGON. JOYEUX COMPAGNON ET BON VIVANT, IL NE CRAINT QU'UNE CHOSE, L'EAU. ÇA POURRAIT LE LAVER, ET SES MOUCHES EN SERAIENT FÂCHÉES.

SWIIP EST UN ORGNOBI. CES CRÉATURES PEUVENT VIVRE DES MILLÉNAIRES, ET LEUR SAVOIR COMME LEUR SAGESSE SONT IMMENSES. LES ORGNOBIS SONT RARES ET RECHERCHÉS, ET SWIIP, RÉVEILLÉ D'UNE LONGUE STASE PAR LANFEUST, A DÉCIDÉ DE METTRE SES CONNAISSANCES AU SERVICE DE NOS AMIS.

THANOS EST UN PERSONNAGE SÉDUISANT MAIS DANGEREUX. PIRATE, BARON FÉLON, SAGE DÉFROQUÉ, ANCIEN AMANT DE CIXI, IL POSSÈDE LES MÊMES POUVOIRS QUE LANFEUST. L'INQUIÉTANT PRINCE DHELLU EN A FAIT SON CHIEN DE TRAQUE CHARGÉ D'ÉLIMINER NOTRE HÉROS.

GLACE EST L'UN DES AGENTS LES PLUS EFFICACES DE DHELLU. CETTE JEUNE FEMME SANS COMPLEXES EST UNE REDOUTABLE GUERRIÈRE ET UNE CROQUEUSE D'HOMMES, ET ELLE GOÛTERAIT BIEN À LANFEUST. ASSOCIÉE À THANOS, ELLE EST LANCÉE À LA POURSUITE DE NOS AMIS.

DHELLU, UN DES TREIZE PRINCES MARCHANDS DE MEIRRION, CACHE EN FAIT UNE CRÉATURE PLUS DANGEREUSE QU'IL NE PARAÎT. CE MANIPULATEUR NE SE CONTENTE PAS D'ÊTRE LE PROPRIÉTAIRE DE TROY ET DE SES HABITANTS ET IL SEMBLE QUE SES AMBITIONS METTENT EN PÉRIL LA GALAXIE ENTIÈRE...

© GÉRONIMO / ARLESTON / TARQUIN
Soleil Productions
247, avenue de la République
83000 Toulon - France

Bureaux parisiens
81, Bd Richard Lenoir - 75011 Paris - France

Conception et réalisation graphique : Studio Soleil.
Lettrage : Guy Mathias

Dépôt légal janvier 2004 - ISBN : 2 - 84565 - 683 - 1
Première édition
*Tous droits de traduction, d'adaptation
et de reproduction strictement réservés pour tous pays.*

Impression : *Partenaires-Livres® / cl -* France

POUR LES MARCHANDS ET LES MILITAIRES, DEZLUNGE EST UNE PLANÈTE SANS INTÉRÊT, LOIN À L'ÉCART DES ROUTES COMMERCIALES. ON Y TROUVE DU SABLE ET DES CAILLOUX... ET UN CHAMP MAGNÉTIQUE QUI, EN DEHORS DES PÔLES, INTERDIT TOUTE UTILISATION D'APPAREILS ÉLECTRIQUES.

MAIS POUR LES REBELLES, CE MONDE EST PLUS CONNU SOUS SON NOM DE CODE : ABRAXAR.

LANFEUST, MON CHOLI...

...QU'EST-CE QUE TU PENSES DES ENFANTS ?

GLOUBSHURPF... DES QUOI ?!?

DES ENFANTS.

TU SAIS, C'EST COMME DES GENS, MAIS EN PLUS PETIT ET ÇA COURT PARTOUT.

ET EUH... POURQUOI TU ME DEMANDES ÇA ?

PARCE QU'ON N'EN A JAMAIS PARLÉ.

BEN... ON AURAIT DÛ ?

LANFEUST DE GLININ, J'AI TRÈS ENVIE DE TE NOYER DANS LA DOUCHE !

AH ?

PARCE QUE LES HISTOIRES D'ENFANTS, C'ÉTAIT C'IAN, ÇA !

TOI, C'EST PAS TON GENRE, SI ?

TU N'AS TOUJOURS RIEN COMPRIS AUX FILLES, HEIN ?

EUH... TU VAS TE MOUILLER, LÀ !

3

MAIS TU VEUX DES ENFANTS, ALORS ?

J'AI PAS DIT ÇA..

AH ? TU N'EN VEUX PAS ?

J'AI PAS DIT ÇA.

AH BON ? MAIS...

TAIS-TOI.

JE MMMHHHH

OH CIXI...

HUM HUM...

'XCUSEZ-MOI...

SWIIP, CES DERNIÈRES SEMAINES ONT ÉTÉ MOUVEMENTÉES...

...ON A MANQUÉ D'ÊTRE DÉVORÉS, GELÉS, NOYÉS, ON S'EST FAIT TIRER DESSUS PAR TOUTES SORTES DE CALIBRES, ON A VOYAGÉ ENTASSÉS DANS UN VAISSEAU SANS LE MOINDRE CONFORT...

ALORS, SI ON POUVAIT DES FOIS ME LAISSER CINQ MINUTES D'INTIMITÉ AVEC MON FIANCÉ, ÇA M'ARRANGERAIT !

VLÀ ?

C'EST QUE TOUT LE MONDE VOUS ATTEND, EN BAS, ET L'AMIRAL GINGREE A DIT DE SE DÉPÊCHER.

MAIS SI VOUS PRÉFÉREZ CONTINUER, NE VOUS GÊNEZ PAS POUR MOI : JE SUIS PARFAITEMENT AU COURANT DU MODE DE REPRODUCTION DES HUMAINS.

C'EST QUE...

ÇA VA, ON VIENT.

SWIIP...

VRUSHHH...

...ÉVITE DE PRONONCER LE MOT REPRODUCTION DEVANT LANFEUST, ÇA LE REND NERVEUX.

②

LES PREMIERS EXPLORATEURS ARRIVANT SUR DEZLUNE ÉTAIENT TOUS RESTÉS COINCÉS AU SOL, INHIBÉS PAR LE CHAMP MAGNÉTIQUE, LEURS APPAREILS REFUSAIENT DE REPARTIR, IL AVAIT FALLU UNE EXPÉDITION AU PÔLE POUR RETROUVER LE CONTACT AVEC LES AUTRES MONDES...

HEIN ? VOUS POURRIEZ ME RÉPÉTER ÇA ?

LAISSEZ TOMBER, AMIRAL GINGREE. LES TROLLS ET LA PHYSIQUE QUANTIQUE, ÇA NE FAIT PAS BON MÉNAGE.

C'EST POURTANT TRÈS SIMPLE ! LA COMPOSITION DU NOYAU DE CETTE PLANÈTE CRÉE UN CHAMP ÉLECTROMAGNÉTIQUE EXTRA-ORDINAIREMENT PUISSANT.

IMPOSSIBLE D'Y UTILISER LE MOINDRE APPAREIL AYANT RECOURS À LA MOBILITÉ DES ÉLECTRONS, COMME UNE LAMPE ÉLECTRIQUE, UN FAISCEAU LASER OU UN MOTEUR DE VAISSEAU !

COMME TOUT CHAMP SUR UNE SURFACE SPHÉRIQUE, IL SE DÉVELOPPE À PARTIR DES PÔLES ...

...ET ICI, L'ŒIL DU CYCLONE, LE SEUL ENDROIT OÙ TOUT FONCTIONNE, LE SEUL ASTROPORT POSSIBLE !

FAIS SEMBLANT D'AVOIR COMPRIS, SINON IL VA NOUS EN REMETTRE UNE COUCHE !

MAIS J'AI COMPRIS ! JE CHERCHE JUSTE LES MOTS QUI PERMETTRONT D'EXPLIQUER ÇA À LANFEUST...

HEIN ? QUOI DONC ?

NOTRE VOYAGE SE POURSUIT DE FAÇON PLUS RUSTIQUE.

NOUS PARTIR AVEC CARAVANE MARCHANDISES. VAISSEAU PAS ALLER PLUS LOIN. MACHINES BOBO.

AH, D'ACCORD.

ON Y VA ?

VOICI TROIS FIERS REPRÉSENTANTS DU PEUPLE DES PYLIDES, QUI VOUS GUIDERONT JUSQU'À DESTINATION.

NYVATINE EST LA CHEF DE CETTE CARAVANE.

ENCHANTÉE.

PPRRRFFFTTT !

BEN, POURQUOI IL RIGOLE QUAND JE DIS "ENCHANTÉE" ?

LAISSEZ, VOUS NE POUVEZ PAS COMPRENDRE.

S'LUT.

PRONEÏTE, RESPONSABLE DE LA SÉCURITÉ DU CONVOI ...

SLMINRO, MON ÉPOUX, SUBRÉCARGUE EN CHARGE DES APPROVISIONNEMENTS ET MARCHANDISES.

ENCH... EUH, RAVI.

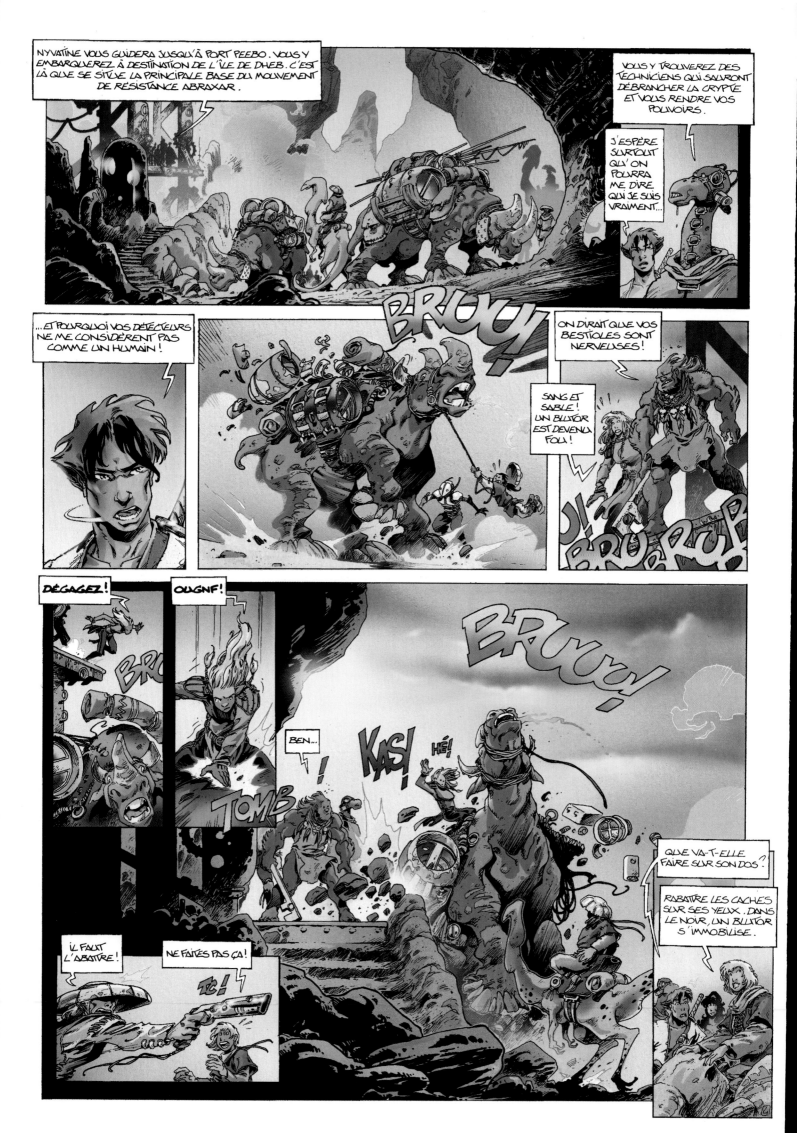

NYVATINE VOUS GUIDERA JUSQU'À PORT PEEBO. VOUS Y EMBARQUEREZ À DESTINATION DE L'ÎLE DE DHEB. C'EST LÀ QUE SE SITUE LA PRINCIPALE BASE DU MOUVEMENT DE RÉSISTANCE ABRAXAR.
VOUS Y TROUVEREZ DES TECHNICIENS QUI SAURONT DÉBRANCHER LA CRYPTE ET VOUS RENDRE VOS POUVOIRS.
J'ESPÈRE SURTOUT QU'ON POURRA ME DIRE QUI JE SUIS VRAIMENT...
...ET POURQUOI VOS DÉTECTEURS NE ME CONSIDÈRENT PAS COMME UN HUMAIN !
BRUUUY
ON DIRAIT QUE VOS BESTIOLES SONT NERVEUSES !
SANG ET SABLE ! UN BLUTOR EST DEVENU FOU !
BRUBRUB
DÉGAGEZ !
BRU
OUGNF !
BRUUUY !
BEN...
!
KAS !
HÉ !
TOMB
QUE VA-T-ELLE FAIRE SUR SON DOS ?
RABATTRE LES CACHES SUR SES YEUX. DANS LE NOIR, UN BLUTOR S'IMMOBILISE.
IL FAUT L'ABATTRE !
NE FAITES PAS ÇA !
TIC !

MOI, JE VAIS VOUS LE CALMER, VOTRE TOUTOU! IL SUFFIT DE LUI FAIRE GICLER LA CERVELLE ET IL NE BOUGERA PLUS!

HUK! HUK!

NON, ATTENDEZ!

UN BLUTOR EST UN BIEN PRÉCIEUX. NOUS NE DEVONS PAS LE BLESSER!

C'EST DE NOS BÊTES QUE DÉPEND NOTRE SURVIE, DANS LE DÉSERT.

ATTENTION!

OH, FUNÉRAILLES!

BROM!

ARGNFF!

MAUDIT...

HÉBUS! DISTRAIS-LE!

LE DISTRAIRE ?!? JE DOIS FAIRE QUOI? CHANTER? DANSER? LE CHATOUILLER?

N'IMPORTE QUOI POURVU QU'IL BOUGE MOINS!

GNAK! GNAK!

J'AI UNE IDÉE!

IL EST OÙ, SON PETIT MATÉRIEL À FAIRE DES BÉBÉS?

TROUVE VIIIIITE!

BRU!

5

7

ÇA, ÇA VA FAIRE BOBO!

KOGN!

TP'

URH! OUHHOUUUUUU!

OUF!

BOM!

LES CACHES, LANFEUST! VITE!!!

ET VOILÀ!

RGNiii!

KAÏ! KAÏ! KAÏ!

TRAVAIL D'ÉQUIPE!

ENFIN, C'EST QUAND MÊME MOI QUI AI FAIT TOUT LE BOULOT!

HÉ! HÉ!

PRONÉTÉ EST SÉRIEUSEMENT BLESSÉE.

ELLE RESTERA ICI POUR ÊTRE SOIGNÉE. NOUS NE POUVONS PLUS RETARDER NOTRE DÉPART.

AÏE!

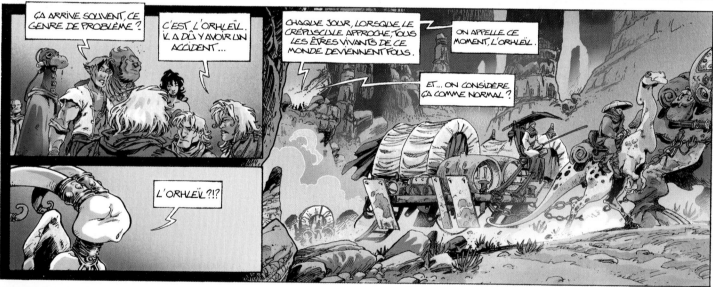

ÇA ARRIVE SOUVENT, CE GENRE DE PROBLÈME?

C'EST L'ORHLEÏL. IL A DÛ Y AVOIR UN ACCIDENT...

CHAQUE JOUR, LORSQUE LE CRÉPUSCULE APPROCHE, TOUS LES ÊTRES VIVANTS DE CE MONDE DEVIENNENT FOUS.

ON APPELLE CE MOMENT, L'ORHLEÏL.

ET... ON CONSIDÈRE ÇA COMME NORMAL?

L'ORHLEÏL?!?

NON, C'EST POUR ÇA QU'IL Y A UN ANTIDOTE...

...TOUS LES JOURS, AVALEZ UNE GORGÉE D'ORHL. CELUI-CI, C'EST DU BON: MA RÉSERVE PERSONNELLE!

ET COMME LA ROUTE EST LONGUE, JE ME SUIS DIT QUE ÇA VOUS FERAIT PLAISIR...

...D'AVOIR QUELQUES PETITS SMURGLS À GRIGNOTER!

OH! QUELLE DÉLICATE ATTENTION!

GLOUP!

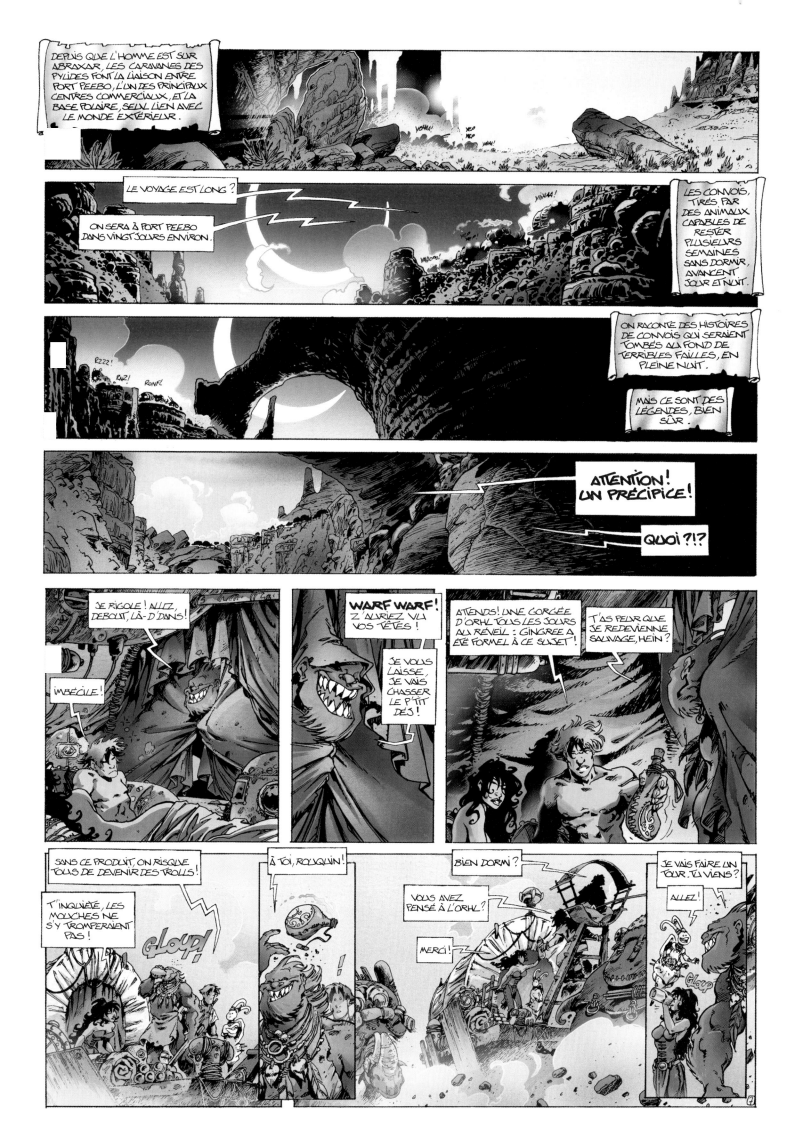

SUR ABRAXAR, LA VIE EST RUDE. NOMBRE D'ESPÈCES ONT APPRIS À SE NOURRIR DE QUELQUES MOUSSES ET LICHENS...

ON VA ESSAYER DE TOUS LES AVOIR D'UN COUP.

C'EST PLUS SPORTIF.

YEP!

...ELLES ONT SURTOUT APPRIS À SE MÉFIER DE TOUT!

GRROWAI

YAARRHH!

À L'ATTAQUE!

HUK! HUK!

ELLES SONT AUSSI STUPIDES QUE JE LE PENSAIS!

YAAHOOO!

TOMLEN

ET CONFORTABLES, EN PLUS!

HUK! HUK!

'Y EN A UNE QUI S'ÉCHAPPE!

UNE MINUTE, TOI!

IIIK!

KLONK!

ET HOP!

ON PEUT NE PAS AIMER L'EAU ET SAVOIR FAIRE LES NOEUDS DE MARIN!

ET POUR LES TRANSPORTER?

⑧

11

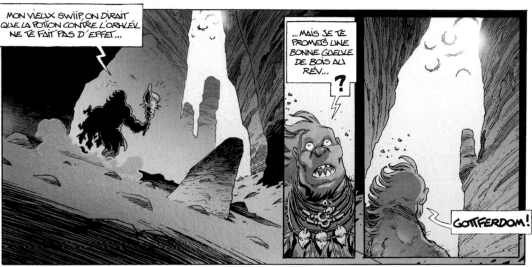

HÉBUS!

YAAAAR!

GOOREE...

EYYH!

CHOP!

DÉGAGEZ!

DÉCIDÉMENT, J'AIME TON REVERS!

JE NE COMPRENDS PAS COMMENT...

C'EST L'ORHLEÜL! ILS SONT TOUS DEVENUS ENRAGÉS... MÊME CIXI!

IL FAUT LA RETROUVER!

ELLE N'A PAS BU À LA MÊME GOURDE QUE NOUS! L'ORHL DE GINGREE NOUS A PROTÉGÉS, ALORS QUE CELUI DU CONVOI ÉTAIT INEFFICACE!

S'ILS CONTINUENT, IL NE VA PAS EN RESTER UN VIVANT!

CIXI! RÉPONDS!

OOOORR!!!

?

EEYH!

CIXI! MAÎTRISE-TOI! JE NE VEUX PAS TE FAIRE DE MAL!

GOOOORR...

QU'EST-CE QUE SE...?!?

NON, JE NE PEUX TOUT DE MÊME PAS...

HEY!

GOOR

14

ÇA VA, EN DESSOUS ?

ELLE VA AVOIR UNE BELLE BOSSE !

ET EN SE RÉVEILLANT, SÛR QU'ELLE VA M'ENGUELLER !

TU FERAIS MIEUX DE L'ATTACHER, AU CAS OÙ ÇA ARRIVERAIT AVANT LA FIN DE L'ORHLEÏL !

DÉJÀ EN TEMPS NORMAL ELLE N'EST PAS COMMODE, MAIS LÀ...

ON DIRAIT QU'ON EST LES SEULS SURVIVANTS !

EN TOUT CAS, S'IL Y EN A D'AUTRES, ILS SONT CALMÉS.

LÀ ! NYVATINE !

AARRHHH ! DE L'EAU...

ON VA VOUS SOIGNER ! TENEZ BON !

INUT... INUTILE...

UN PYLIDE SAIT QUAND C'EST FINI. ET J'AI MOI-MÊME TUÉ SUMINRO QUE J'AIMAIS PLUS QUE TOUT...

L'ORHLEÏL NOUS A TOUS FRAPPÉS !

MAIS COMMENT ? VOTRE ORIL NE VOUS A PAS PROTÉGÉS ?

PRONEÏTE ! ELLE NOUS A TRAHIS ! ELLE A SÛREMENT REMPLACÉ NOTRE ANTIDOTE PAR UN PRODUIT SANS EFFICACITÉ... ET S'EST LAISSÉE BLESSER POUR RESTER À LA BASE POLAIRE.

ELLE A UNE INFORMATION FORTE À MARCHANDER.

ELLE COMPTE... RÉVÉLER AU PRINCE DHELLUS QUE DEZUNGE ET ABRAXAR NE FONT QU'UN !

SI ELLE A RÉUSSI À SE FAIRE EMBARQUER POUR MEIRRION, LA BASE DES RÉSISTANTS VA ÊTRE EN DANGER !

BEAUCOUP SONT PRÊTS À TOUT POUR QUITTER CETTE PLANÈTE INGRATE.

IL FAUT QUE VOUS ARRIVIEZ À DHEB ! PRENEZ ÇA, POUR PAYER LE BATEAU... VOUS DEVEZ LES PRÉVENIR ! ARHH...

JE VOUS LE PROMETS, NYVATINE !

ET ARRÊTE DE BOUFFER DES GENS QU'ON CONNAÎT !...

...C'ÉTAIT SON MARI ! ÇA NE SE FAIT PAS !

ELLE EST MORTE.

MÂCHE ! MÂCHE

MÂCHE ! MÂCHE MÂCHE !

BÂILLE !

BEN QUOI ? IL EST MORT, JE SUIS SÛR QU'IL AURAIT ÉTÉ CONTENT DE SERVIR À QUELQUE CHOSE !

UN RIEN TE PORTE SUR LES NERFS, TOI, EN CE MOMENT !

MHHH ? J'AI RATÉ UN ÉPISODE ?

RGNIÏSSE!

OUF !

TOMB!

HÉBUS ?

PLOP

MAIS C'EST QU'IL M'AURAIT OUBLIÉ, LE SAGOUIN !

TRAVERSER LES TERRIBLES DÉSERTS DU NORD JUSQU'À PORT PEEBO EST DÉJÀ UNE ÉPREUVE DIFFICILE POUR UNE CARAVANE ORGANISÉE, MAIS POUR UN GROUPE ISOLÉ, C'EST PRESQUE IMPOSSIBLE...

LANFEUST ! J'AI VU DES CHOSES SUR LA CRÊTE !

...LE VOYAGE EST BEAUCOUP TROP DANGEREUX...

TOUT DOUX! TOUT DOUX!

iiiHii... iiiIIRK!

GRooOO°...

HOK! HOK! HOK!

CE SONT DES HYDRES CHAROGNARDES !

SPROÏ GROOOO!!!

...SAUF ÉVIDEMMENT SI UN TROLL FAIT PARTIE DU GROUPE.

PORT PEEBO !

ON VA ENFIN POUVOIR BOIRE UNE BONNE BIÈRE !

DORMIR DANS UN VRAI LIT !

PRENDRE UN BON BAIN !

ON S'EST PAS UN PEU EMBROUILLÉS, LÀ ?

EUH...

PORT PEEBO EST UNE DES PLUS ANCIENNES CITÉS DE LA PLANÈTE. SON ACCÈS À L'OCÉAN DE SABLE LUI CONFÈRE UNE POSITION STRATÉGIQUE DANS LES ÉCHANGES DE MARCHANDISES, ET LES COMMERÇANTS ONT FAIT LA FORTUNE DE LA VILLE.

LES ENCAISSEURS MUNICIPAUX ÉGALEMENT.

ÇA RESSEMBLE À UNE AUBERGE, ÇA, NON ?

SANS AUCUN DOUTE ! JE SAURAIS RECONNAÎTRE UN DÉBIT DE BOISSONS SUR N'IMPORTE QUEL MONDE !

UNE SECONDE, MONSIEUR ! POUR VOUS ARRIMER ICI, IL FAUT ACQUITTER LA TAXE.

PARDON ? QUELLE TAXE ?!?

EH BIEN, LA TAXE PORTUAIRE ! NOUS SOMMES DANS UN PORT.

25 DIRPEKS.

DES DIRPEKS... JE NE ME RENDS PAS BIEN COMPTE DE CE QUE ÇA VAUT...

IL FAUT FAIRE ATTENTION : C'EST L'ARGENT QUE NYVATINE NOUS A DONNÉ POUR PAYER LE BATEAU !

MOI, JE CROIS QU'ON PEUT FAIRE DES ÉCONOMIES...

NON, HÉBUS, PAS DE ÇA ! INUTILE DE NOUS FAIRE REMARQUER PLUS QUE NÉCESSAIRE.

VOILÀ TROIS BILLETS, 30 DIRPEKS...

PAYER, C'EST LA SAGESSE, MONSIEUR. VOICI VOTRE MONNAIE.

VOUS OUBLIEZ UNE PIÈCE. DE 25 À 30, VOUS DEVEZ ME RENDRE CINQ PIÈCES, PAS QUATRE.

DÉSOLÉ, MONSIEUR, VOUS NE M'AVEZ PAS FOURNI L'APPOINT EXACT : J'AI DÛ APPLIQUER UNE SURTAXE D'UN DIRPEK POUR LE RENDU-MONNAIE.

BONNE JOURNÉE, MONSIEUR !

C'EST VRAIMENT UN VAUTOUR, CE TYPE !

ON A ENVIRON DEUX MILLE DE CES DIRPEKS. IL FAUT VITE SAVOIR CE QUE COÛTE LA TRAVERSÉE.

ON PEUT VENDRE LE CHARIOT ET LES BÊTES : SUR L'OCÉAN, ILS NE NOUS SERONT PAS UTILES !

ON TROUVERA PEUT-ÊTRE UN ACQUÉREUR, LÀ-DEDANS.

POM POM POM...

ON DISTILLE QUOI, PAR ICI ?

CETTE FOIS, TU ME LAISSES NÉGOCIER LES PRIX, LANFEUST !

LES GARÇONS, VOUS VOUS FAITES TOUJOURS AVOIR !

♪ ♫ ♪ ♫ ♪

PERMETTEZ ?

HUMPF.

HOLÀ, TAVERNIER ! ANNONCEZ VOTRE MEILLEUR TARIF !

2 DIRPEKS LA LOUCHE DE RAGOÛT, 3 DIRPEKS LA VIANDE GRILLÉE, 1 DIRPEK LA PART DE PAIN, 1 DIRPEK LA BIÈRE DE CACTUS.

BIEN... C'EST RAISONNABLE ! SERVEZ À MANGER POUR QUATRE PERSONNES.

ET À BOIRE POUR DIX !

HUK HUK !

IL NOUS FAUT TROUVER UN NAVIRE QUI NOUS EMMÈNE À DHEB...

D'APRÈS CE QUE J'AI PU GLANER EN LAISSANT TRAÎNER MES OREILLES, ÇA NE SEMBLE PAS UNE DESTINATION TRÈS COMMUNE.

LES SEULS À SE RISQUER SI À L'EST DANS L'OCÉAN SONT LES CHASSEURS DE RORSKÄL.

ET MÊME EUX ÉVITENT L'ÎLE QUI A LA RÉPUTATION D'ÊTRE MAUDITE.

EXCUSEZ-MOI, MESSIEURS, MES AMIS ET MOI-MÊME CHERCHONS À EMBARQUER POUR L'ÎLE DE DHEB...

Z'ÊTES RICHES ?

NOUS AVONS... ...TROIS CENTS DIRPEKS.

MAM'ZELLE, JE SUIS LE CAP'TAIN' GRUNDWUND, DU CHASSEUR DE RORSKÄL 'LA LIMANTE'.

ET MON VERRE EST VIDE.

ATTENTION! CHAUD DEVANT!

VOICI POUR CES MESSIEURS!

CHIC! IL ÉTAIT TEMPS!

HEP! LA MÊME CHOSE POUR LE CAP'TAIN' GRUNDWUND!

VOICI MON SECOND, MONSIEUR MUSH.

Z'AVEZ DE LA CHANCE, ON N'EST PAS NOMBREUX À OSER ALLER JUSQU'À DHEB!

LA MONTAGNE, CHEF D'ÉQUIPAGE, ET LE BOSCO.

S'LUT.

SALUT!

RESSERVEZ ÉGALEMENT CES MESSIEURS.

CAP'TAIN' GRUNDWUND, JE SUIS RAVIE QUE NOTRE OFFRE VOUS AIT CONVENU!

QUAND LEVONS-NOUS L'ANCRE?

MAM'ZELLE, POUR 300 DIRPEKS, JE VOUS EM-MÈNE À PEINE FAIRE UN TOUR JUSQU'AU MILIEU DU PORT!

QUOI?!?

TZOÏNG!

....

PLUS D'ZIK...

C'EST BON... ON Y VA!

UNE BIÈRE!

MOI AUSSI!

DOUBLE MEZKÄL!

J'AI SOIF!

TROIS POLQUE-TECHILYA!

BIÈRE! VITE!

BEN, POURQUOI TOUT LE MONDE SE PRÉCIPITE MAINTENANT?

LA MUSIQUE S'EST ARRÊTÉE. LE TARIF N'EST PAS LE MÊME QUAND IL N'Y A PAS DE DIVERTISSEMENT.

'FAUT SE DÉPÊCHER DE COMMANDER, ÇA VA REPRENDRE!

ENCORE UNE BIÈRE ICI!!

BON, COMBIEN VOUS VOULEZ POUR NOUS EMMENER À DHEB?

ON DOIT PARTIR POUR LA CAMPAGNE DE PRINTEMPS DANS LA RÉGION, ON PEUT FAIRE UN PETIT DÉTOUR.

SIX MILLE..

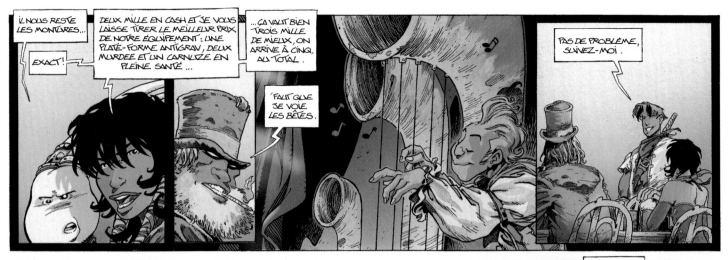

IL NOUS RESTE LES MONTURES...

EXACT!

DEUX MILLE EN CASH ET JE VOUS LAISSE TIRER LE MEILLEUR PRIX DE NOTRE ÉQUIPEMENT : UNE PLATE-FORME ANTIGRAV, DEUX MURDÉE ET UN CARNIZE EN PLEINE SANTÉ...

ÇA VAUT BIEN TROIS MILLE DE MIEUX, ON ARRIVE À CINQ, AU TOTAL.

'FAUT QUE JE VOIE LES BÊTES.

PAS DE PROBLÈME, SUIVEZ-MOI.

MAIS...

ON NOUS A VOLÉ NOTRE PLATE-FORME! ...ET NOS BÊTES!

NOS BIENS ÉTAIENT LÀ! ON VOUS A PAYÉ! VOUS AVEZ VU QUELQUE CHOSE?

LA TAXE VOUS DONNAIT LE DROIT DE STATIONNER, MAIS VOUS N'AVIEZ RIEN RÉGLÉ CONCERNANT LE GARDIENNAGE, MADEMOISELLE.

VOUS AVEZ VU LES VOLEURS?

DEUX DOCKERS MURPHIENS ET UN MARIN DU NORD...

GUÈRE POLIS, D'AILLEURS...

ET VOUS N'AVEZ RIEN FAIT?...

SI, BIEN SÛR. JE LEUR AI FAIT ACQUITTER LA SURTAXE DE VOL AVANT LA TOMBÉE DE LA NUIT.

LÂCHEZ-MOI, VOUS RISQUEZ DES PÉNALITÉS.

IL N'Y A QUE PENDANT L'ORHEIL QUE L'ON EXCUSE LES ACTES DE VIOLENCE.

C'EST VRAIMENT UNE VILLE DE DINGUES, ICI!

HEP, VOUS, LÀ! ON NE SORT PAS D'ICI AVANT D'AVOIR RÉGLÉ SON ADDITION!

DOUCEMENT! PAS LA PEINE D'ÊTRE MÉFIANT COMME ÇA!

SI VOUS TENTEZ D'ESCROQUER CET HONNÊTE AUBERGISTE, ÉTRANGER, JE DEVRAI TÉMOIGNER CONTRE VOUS.

QUATRE FOIS RAGOÛT, VIANDE ET PAIN, PLUS DIX BIÈRES : 34 DIRPEKS! LÂCHEZ-LE, MAINTENANT!

MAIS LE COMPTE N'Y EST PAS DU TOUT!

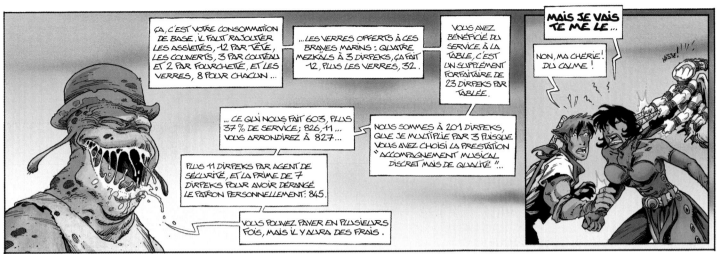

ÇA, C'EST VOTRE CONSOMMATION DE BASE. IL FAUT RAJOUTER LES ASSIETTES, 12 PAR TÊTE, LES COUVERTS, 3 PAR COUTEAU ET 2 PAR FOURCHETTE, ET LES VERRES, 8 POUR CHACUN...

...LES VERRES OFFERTS À CES BRAVES MARINS : QUATRE MEZKÄLS À 3 DIRPEKS, ÇA FAIT 12, PLUS LES VERRES, 32.

VOUS AVEZ BÉNÉFICIÉ DU SERVICE À LA TABLE, C'EST UN SUPPLÉMENT FORFAITAIRE DE 23 DIRPEKS PAR TABLÉE.

MAIS JE VAIS TE ME LE...

NON, MA CHÉRIE! DU CALME!

...CE QUI NOUS FAIT 603, PLUS 37 % DE SERVICE; 826,11... VOUS ARRONDIREZ À 827...

NOUS SOMMES À 201 DIRPEKS, QUE JE MULTIPLIE PAR 3 PUISQUE VOUS AVEZ CHOISI LA PRESTATION " ACCOMPAGNEMENT MUSICAL DISCRET MAIS DE QUALITÉ "...

PLUS 11 DIRPEKS PAR AGENT DE SÉCURITÉ, ET LA PRIME DE 7 DIRPEKS POUR AVOIR DÉRANGÉ LE PATRON PERSONNELLEMENT: 845.

VOUS POUVEZ PAYER EN PLUSIEURS FOIS, MAIS IL Y AURA DES FRAIS.

MES AMIS SONT SORTIS?

OUI, MAIS VOUS POUVEZ LEUR DIRE DE REVENIR QUAND ILS VEULENT!

HÉ! HÉ! HÉ!

EYH! LES TOURISTES!

J'AI PEUT-ÊTRE UNE SOLUTION POUR VOUS!...

ON A TOUJOURS BESOIN DE BRAS POUR LA CHASSE AU RORSKÄL.

FAITES CETTE CAMPAGNE AVEC MOI, ET À LA FIN, DANS QUATRE MOIS, JE VOUS DÉPOSE À DHEB.

VOUS AVEZ JUSQU'À LA MI-NUIT POUR ÊTRE À BORD DE LA "LIMANTÉ". ON LÈVE L'ANCRE AVEC LA MARÉE.

ON VA RÉFLÉCHIR À VOTRE PROPOSITION, CAP'TAIN GRUNDWLND.

EN ATTENDANT, ON APPROCHE DE L'HEURE DE L'ORHLFÜ, LÀ, NON?

TU VEUX DIRE DU MOMENT OÙ L'ON N'EST PLUS LÉGALEMENT RESPONSABLE DE SES ACTES?

HIHI! C'EST LE COLLECTEUR DE TAXES QUI L'A DIT!

ON RETOURNE À L'AUBERGE?

TU DEVRAIS VENIR, ÇA VA TE PLAIRE...

HÉ! HÉ!

YAHAAAHAA!!

AH MON DIEU! JE PERDS TOUT CONTRÔLE, C'EST L'ORHLEIL!

CIEL! MOI DE MÊME!

PFFFFF...

UNE DES CHOSES LES PLUS REMARQUABLES DE DEZUNGE, C'EST SON OCÉAN DE SABLE. LES FINES PARTICULES MINÉRALES RÉAGISSENT À L'INFLUENCE DU CHAMP MAGNÉTIQUE COMME UN LIQUIDE, ET UNE FOIS DE PLUS, LA VIE A PU SE DÉVELOPPER...

... SAUF QU'ICI, MOURIR NOYÉ EST ENCORE PIRE QUE D'HABITUDE.

LANFEUST, TU NE M'AS JAMAIS RIEN DEMANDÉ D'AUSSI DUR !...

... JAMAIS UN TROLL LIBRE N'A TRAVAILLÉ !

À LA BARRE DE LEURS FIERS NAVIRES, MARCHANDS ET PÊCHEURS SILLONNENT L'OCÉAN. MAIS SEULS LES PLUS COURAGEUX ET LES PLUS FOUS OSENT SE LANCER DANS LA TERRIBLE CHASSE AU RORSKÄL...

C'EST COMME BOIRE DE L'EAU OU MANGER DES LÉGUMES : C'EST INDÉCENT !

OBSCÈNE !

JE M'EN RENDS COMPTE, HÉBUS. JE SUIS DÉSOLÉ.

LES BARESTANS NE SONT PAS CORRECTEMENT EMPLURÉS !

'VA FALLOIR REFAIRE ÇA, ET MIEUX !

ET CES NŒUDS DE STIFF ! UNE HONTE !

TOI, LA MONTAGNE, VIENS CINQ MINUTES AVEC MOI, ET APRÈS ON T'APPELLERA LA COLLINE !

DOUCEMENT, HÉBUS !

MMH....

C'EST UNE MUTINERIE, MATELOT ?

OUAIS, CH'UIS MUTIN, COMME GARÇON !

DU CALME, HÉBUS !

HOLÀ ! QUE SE PASSE-T-IL, ICI ?

HUNFG ! RIEN DU TOUT, CAP'TAIN' ! TOUT VA BIEN !

ALORS, REPRENEZ VOS POSTES ! ON APPROCHE DES BANCS DE RORSKÄLS, JE LE SENS !

22

LAISSE-MOI FAIRE, LANFEUST! J'EN ESTOURBIS TROIS OU QUATRE ET TOUS LES AUTRES NOUS OBÉIRONT.

JE T'AI DIT NON!

ON L'A DÉJÀ FAIT AVEC LES PIRATES D'HEDULIE! ALORS, POURQUOI PAS CETTE FOIS?

PARCE QU'ON EST LES GENTILS.

LES PIRATES, C'ÉTAIT DES MÉCHANTS, ON AVAIT DROIT.

MOI, JE SUIS SÛR QU'IL Y A PLEIN DE SALES TYPES, SUR CE BATEAU!

CES MARINS NE NOUS ONT RIEN FAIT. LE CAP'TAIN' GRUNDWUND NOUS A MÊME DÉPANNÉS EN NOUS ACCEPTANT À BORD.

TU PARLES D'UN DÉPANNAGE! IL NOUS EXPLOITE EN NOUS FAISANT TRAVAILLER COMME DES ESCLAVES!

À LA SOUUUUUUPE!

TRAVAILLONS HONNÊTEMENT ET NOUS AURONS PEUT-ÊTRE L'OCCASION DE NOUS FAIRE DÉPOSER SUR DHEB PLUS VITE.

OUAIS, EN TOUT CAS, MOI, J'AI LE GROS ORTEIL QUI ME DÉMANGE ENCORE!

'SUIVANT!

BONG! BONG BONG BONG BONG!

RORSKÄL À TRIBORD!

OÙ EST-IL? QUELLE COULEUR?

C'EST IMPORTANT, LA COULEUR?

NORMALEMENT, LES RORSKÄLS SONT BLEUS. SAUF UN, UN ANIMAL TERRIBLE ET GIGANTESQUE, TOUT BLANC, QUE POURCHASSE GRUNDWUND...

C'EST ENTRE SES MÂCHOIRES QU'IL A LAISSÉ SA JAMBE!

SNIF SNIF!!!

23

ABAISSEZ LES POSTES DE HARPONNAGE!

LE RORSKÄL EST CHASSÉ POUR SA VIANDE DÉCOUPÉE EN LANIÈRES ET FUMÉE À BORD, POUR SON CUIR SOUPLE ET SOLIDE, ET SURTOUT POUR LES GLANDES SITUÉES AUTOUR DE SON FOIE...

...C'EST À PARTIR DES QUELQUES LITRES DE BILLET, LE PRÉCIEUX LIQUIDE QU'ELLES CONTIENNENT, QUE SERONT FABRIQUÉES DES DIZAINES DE CUVES D'ANTIDOTE À L'ORHLEÏL.

BON, QU'EST-CE QU'IL FAUT FAIRE DE ÇA ...?!?

ATTENTION! TA CORDE!

HO! HIiiSSE!

CROUI!!...

QUOI, MA CORDE? QU'EST-CE QU'ELLE A, MA CORDE?

HÉ!

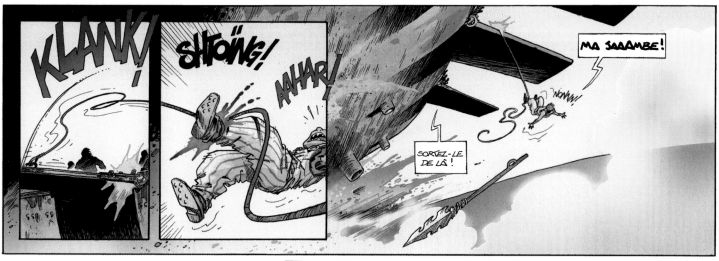

KLANK!

SHTOÏNG!

AAHAR!

MA SAAAMBE!

NONN!

SORTEZ-LE DE LÀ!

J'Y VAIS!

SJT!

TU MÉRITERAIS D'ÊTRE BALANCÉ PAR-DESSUS BORD!

C'EST VOT'BATEAU QUI EST MAL FOUTU! 'YA DES CORDES PARTOUT!

HÉBUS! ATTRAPE-LE!

22

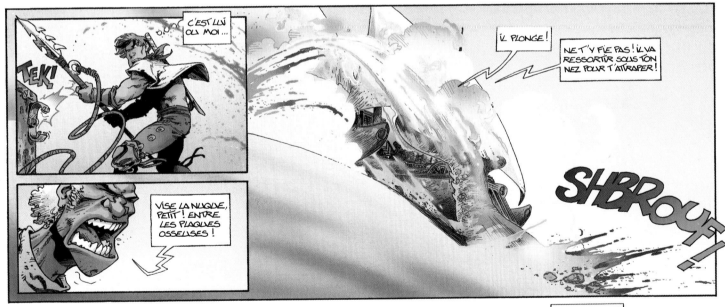

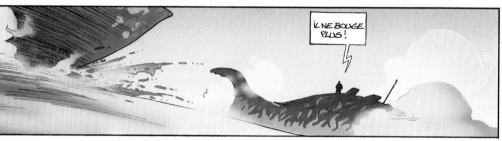

CAP'TAIN'! C'EST DE LA FOLIE !

AUCUN HOMME NE PEUT HARPONNER EN PLEINE TEMPÊTE ! S'IL RATE LA BÊTE, IMPOSSIBLE DE LE RÉCUPÉRER !

J'IRAI MOI-MÊME, SI PERSONNE N'A ASSEZ DE COURAGE !

MOI J'Y VAIS...

LANFEUST ! NON !

LE CAP'TAIN' GRUNDWUND N'A QU'UNE PAROLE, MON GARS. JE NE COMPRENDS TOUJOURS PAS CE QUE TU VEUX FAIRE SUR CETTE ÎLE DÉSERTE, MAIS...

...MAIS EN ÉCHANGE, LORSQUE JE VOUS AURAI HARPONNÉ VOTRE RORSKÄL BLANC, VOUS NOUS AMÈNEREZ DIRECTEMENT À DHEB !

TROUVE CETTE BÊTE ET NOUS FILONS DÈS DEMAIN VERS DHEB !

J'AI DIT QUE JE T'AIMAIS EN HÉROS, PAS EN IMBÉCILE SUICIDAIRE !

MAIS...

BAF

FAIS-TOI TUER ET JE T'EN COLLE UNE AUTRE !

JE VIENS AVEC TOI ! JE VAIS TE PRÉPARER UN ARRIMAGE DE SÉCURITÉ...

C'EST VIVIFIANT, CETTE BRISE, HEIN ?

EYYHHH !

GOTTFERDOM !

KRAASH

BROOF!!

IL EST DEUX FOIS PLUS GROS QUE L'AUTRE !

J'AIMERAIS BIEN AVOIR DES DENTS COMME ÇA !

LAISSE-MOI FAIRE, LANFEUST, C'EST MOI QUI Y VAIS !

J'AI BIEN OBSERVÉ LA TECHNIQUE, TOUT À L'HEURE !

?

TP !

JE ME PROJETTE POINTE EN AVANT DE TOUTES MES FORCES DANS LE POINT FAIBLE DE SA NUQUE ET **VLARCH** !

GRRR!

VLAN! AARGNN!... TOHAC!!

ET ENSUITE TU ES COINCÉ, PLANTÉ DANS SA CHAIR, PAS ASSEZ PROFONDÉMENT POUR LE TUER, ET IL REPLONGE ...

EUH...

EN EFFET, JE N'AVAIS PAS ENVISAGÉ LES CHOSES COMME ÇA ...

BROOF !

JE SUIS LÀ, MAUDITE BÊTE !

VOILÀ, ÇA C'EST DU COSTAUD !

YAHAH! PAR ICI, RORSKÄL !!

LANFEUST! ARRÊTE IMMÉDIATEMENT TES BÊTISES !

ICI! AU PIED! COUCHÉ !

IL A DE NOUVEAU DISPARU ...

MAIS...

29

EYYYH!

KAS!

PLANT!

OUAIS! TU L'AS!

FUNÉRAILLES!

J'AI RATÉ LE POINT VULNÉRABLE!

IL VA MOURIR! À CAUSE DE MA FOLIE!...

GAUW!

PÏNG

MAIS... MES CORDES! C'EST PAS CE QUE J'AVAIS PRÉVU!

S'IL PLONGE, JE SUIS MORT!

ÇA VA LÂCHER!

IL FAUT RETENIR LANFEUST!

RGN'N...

HIÏSSE!

KRAK!

GOTTFERDOM!

EYH!

KAS!

ON S'ENVOLE!

C'EST CET ANIMAL QUI NOUS TIRE!

30

LANFEUST! REMONTE!

QUOI ?!?

CHOP!

RGN!...

AVEC CETTE TEMPÊTE, ON N'ENTEND RIEN!

JE FERAIS MIEUX DE GRIMPER LES REJOINDRE!

LE RORSKÄL S'ENFONCE! JE NE VEUX PAS MOURIR DANS LE SABLE!

FRRH!...

FRRROOOSH!!

LANFEUST DE GLÜNIN, TON IDÉE ÉTAIT STUPIDE! QU'ALLONS-NOUS FAIRE, MAINTENANT ?!

CHOP!

OUF!

EN TOUT CAS, ON AVANCE DIX FOIS PLUS VITE QU'À BORD DE "LA LIMANDE".

C'EST GÉNIAL DE SAVOIR QU'ON VA MOURIR BEAUCOUP PLUS LOIN!

FRRRHR!...

CESSEZ DE RÂLER! REGARDEZ, ON DIRAIT QU'ON EST SORTIS DE LA TEMPÊTE!

LÀ-BAS! UNE ÎLE!

IL FAUT SE SÉPARER DU RORSKÄL ET TENTER NOTRE CHANCE!

T'AS RAISON!

COUP!

ÇA N'A PAS L'AIR TRÈS ANIMÉ!

31

EN FAIT, UN BAIN, C'EST PAS MAL QUAND ÇA MOUILLE PAS!

J'ESPÈRE TOUT DE MÊME QU'IL Y A DE L'EAU SUR CETTE ÎLE : NOUS N'AVONS RIEN À MANGER NI À BOIRE.

JE VAIS FAIRE UNE PETITE RECONNAISSANCE, JE VOUS RETROUVE TOUT À L'HEURE.

ZWIIIP!

ÇA VEUT SAUVER L'UNIVERS ET ÇA SE RETROUVE COINCÉ SUR UN BOUT DE CAILLOU AU MILIEU DU SABLE!

REGARDE OÙ TU METS LES PIEDS AU LIEU DE RÂLER!

AÏE! ÇA M'A L'AIR PLUS QUE DÉSERTIQUE!

IL Y A COMME UN LAC AU CENTRE AVEC UN ACCÈS À L'OCÉAN... C'EST INDÉTECTABLE D'EN BAS!

TIENS, C'EST QUOI, ÇA?!?

MAIS...?!?

ON A VITE FAIT DE SE TORDRE LA CHEVILLE DANS CE BAZAR!

SSH!

AÏE!

PFFFFFT!

CETTE SALOPERIE M'A PIQUÉ!

SPO!

KIII!

J'AI FROID DANS LA JAMBE! JE...

FSIIII!

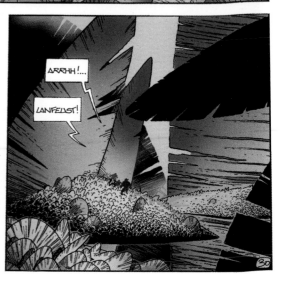

ARRHH!...

LANFEUST!

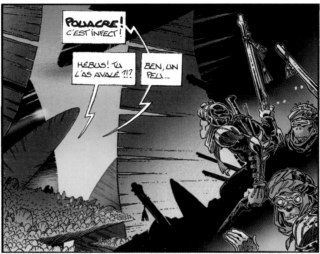

ALORS IL A EU BEAUCOUP DE CHANCE. VOUS DEVEZ ÊTRE TRAITÉS TOUS LES DEUX AU PLUS VITE. ON VOUS EMMÈNE À LA BASE.

DITES VOIR, JE DIS PEUT-ÊTRE UNE BÊTISE, MAIS ELLE NE S'APPELLERAIT PAS DHEB, CETTE ÎLE ?

SI.

MAIS ALORS... VOUS ÊTES LES REBELLES D'ABRAXAR!

QUELLE PUISSANCE DE DÉDUCTION!

C'EST FORMIDABLE! C'EST VOUS QU'ON CHERCHE!

CONTINUEZ COMME ÇA ET VOUS ALLEZ ME TROUVER.

MIRLIPILI! LE PLUS INCROYABLE, C'EST QUE C'EST LE RORSKÄL BLANC QUI NOUS A CONDUITS JUSQU'ICI...

INCROYABLE? VOUS ÊTES SÛR?

LE PRINCIPE DES PORTES SUBESPACE PERMET DE PASSER EN UN PAS D'UN BOUT À L'AUTRE DE LA GALAXIE. LES DEMEURES DES HOMMES LES PLUS FORTUNÉS ONT AINSI DES PIÈCES SUR DIVERS MONDES...

LE PRINCE RAÏNGHEY AVAIT MÊME FAIT INSTALLER AU-DESSUS DU PALAIS DU PRINCE KHONZOR UNE PORTE HORIZONTALE COMMUNIQUANT AVEC LA LUNETTE DE SES TOILETTES, AFIN QUE SES DÉJECTIONS SE RÉPANDENT SUR SON ESTIMÉ COLLÈGUE. ILS SE SONT DEPUIS RÉCONCILIÉS.

LE PALAIS DU PRINCE DHELUXI EST PRINCIPALEMENT SITUÉ SUR MEIRRION, MAIS PAS ENTIÈREMENT. DANS SES EXTENSIONS, ON COMPTE PAR EXEMPLE LE JARDIN DES MILLE FONTAINES...

HI HI HI! DHELUXI, MON AMI, VOUS AVEZ BEAUCOUP TROP DE MAINS!

JUSTE DEUX, MA DOUCE OPHREDLA. L'IMPORTANT EST DE LES BOUGER AVEC CELERITÉ ET DÉLICATESSE!

OH COMME J'AIME VOS JEUX!

OUI OUI!

HOP, JE PASSE PAR DERRIÈRE...

OUIIIIII! ON VA ARRIVER AU NIVEAU SUIVANT!

DÉSOLÉE DE VOUS DÉRANGER, MON PRINCE, MAIS J'AI LÀ QUEL- QU'UN QUE VOUS VOUDREZ CERTAINEMENT ENTENDRE.

J'ESPÈRE QUE C'EST IMPORTANT, PARCE QUE JE SUIS EN PLEIN COMBAT, LÀ...

...ET ON NE PEUT PAS SAUVEGARDER!

OH NOOON!

CETTE FILLE S'APPELLE PRONÈÈTE ET ELLE VIENT DE LA PLANÈTE DEZUNGE...

AUCUN INTÉRÊT.

...QUE LES REBELLES APPELLENT ABRAXAR!

QUOI ?!? ... ABRAXAR ?!?

ELLE DIT Y AVOIR CROISÉ UN CERTAIN LANFEUST, EN ROUTE POUR LA BASE DES REBELLES.

LANFEUST? LE MIEN?

IL ÉTAIT AVEC UNE FILLE EN ROUGE, UN ORGNOBI ET UN GENRE DE CHEWBAK BIZARRE.

INTÉRESSANT! NOUS LOCALISONS LE REPAIRE DES REBELLES ET NOUS RETROUVONS CE MAUDIT ROUQUIN...

À QUI APPARTIENT CE MONDE?

DEZUNGE EST PROPRIÉTÉ DE LA SPATIALE LADHAL.

DES DÉSERTS ET DU SABLE : UN ENDROIT OUBLIÉ, SANS INTÉRÊT POUR LES BHADÖLAS. ENCORE UNE PLANÈTE À HAUTE RÉSONNANCE MAGNÉTIQUE, IMPOSSIBLE D'UTILISER QUOI QUE CE SOIT D'ÉLECTRIQUE.

OUI, UNE PLANQUE IDÉALE...

GLACE, INFORMEZ LADHAL. THANOS, PRÉPARE UN NETTOYAGE TOTAL.

QLIT..

NETTOYAGE TOTAL? J'AIME ÇA!

TU ES UN BON CHIEN DE CHASSE, MON THANOS.

SWIIINNNG...

COUIC!

TOMB!

?

JE VOUS RAMÈNERAI LA TÊTE DE CE CONCRELST ROUQUIN.

PARFAIT! GLACE T'ACCOMPAGNERA POUR RÉGLER LES DÉTAILS.

SLUURP!

VOUS VOULEZ DIRE... QUE JE SUIS SOUS SES ORDRES?

À L'ASTROPORT, TU AVAIS LE COMMANDEMENT, TU AS ÉCHOUÉ...

...THANOS A MAINTENANT SA CHANCE.

MAIS JE T'AI VU AVEC DES FLÈCHES PLANTÉES DANS LE DOS! MÊME DES LANCES! DES ÉPÉES! DES ROCHERS EN TRAVERS DE LA TÊTE...

J'AIME PAS LES AIGUILLES...

...C'EST PAS FRANC, UNE AIGUILLE.

LE PRODUIT EST UN PEU DOULOUREUX...

RGNH!!!!

...MAIS L'EFFET EST RAPIDE.

TANT MIEUX, JE DOIS AU PLUS VITE LES AMENER AU CHEF.

OUGNF!

À CE GRAND GARÇON BIEN BÂTI, MAINTENANT...

'FAUT QUE ÇA PASSE DANS LE SANG, C'EST ÇA?

CHOP!

?!

HOP! ON OUVRE!

VERSEZ DIRECTE-MENT LÀ-DEDANS.

MAIS PAS DE PIQÛRE, HEIN!

FRANCHE!

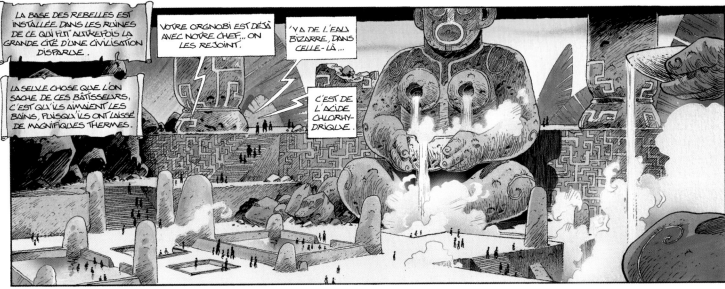

LA BASE DES REBELLES EST INSTALLÉE DANS LES RUINES DE CE QUI FUT AUTREFOIS LA GRANDE CITÉ D'UNE CIVILISATION DISPARUE.

LA SEULE CHOSE QUE L'ON SACHE DE CES BÂTISSEURS, C'EST QU'ILS AIMENT LES BAINS, PUISQU'ILS ONT LAISSÉ DE MAGNIFIQUES THERMES.

VOTRE ORGNOBI EST DÉJÀ AVEC NOTRE CHEF... ON LES REJOINT.

'Y A DE L'EAU BIZARRE, DANS CELLE-LÀ...

C'EST DE L'ACIDE CHLORHY-DRIQUE.

ÇA PERMET AUX KABUTS DE DESQUAMER LEUR CHITINE SUPERFICIELLE.

CHAQUE RACE A SON BASSIN ET SES PRÉFÉRENCES.

'Y AURAIT PAS UN BASSIN DE BIÈRE, DES FOIS?

ALORS, VOICI DONC NOS MARAUDEURS...

EYH! MAIS?!?

37

JE VOUS CONNAIS! VOUS ÉTEZ CHEZ DHELLU!

TIENS?

VOUS ÊTES LA PRINCESSE OPHREDLA!

EN EFFET, JOLIE DEMOISELLE.

MAIS IL Y A FORT LONGTEMPS QUE JE NE SUIS PAS ALLÉE CHEZ CE MAUDIT DHELLU. COMMENT VA-T-IL?

MAL, J'ESPÈRE?

POURTANT, ON VOUS A VUE! ...IL Y A QUELQUES JOURS À PEINE!

CE N'ÉTAIT PAS MOI... ...IL Y A DES CHOSES QUE VOUS IGNOREZ CONCERNANT DHELLU.

MAIS AVANT D'ALLER PLUS LOIN, JE DOIS VÉRIFIER SI VOUS ÊTES BIEN CEUX QUE J'ATTENDAIS...

MOI JE N'AI PAS CONFIANCE EN EUX.

GNA GNA GNA!

DITES, QUI VOUS ENVOIE ICI...

LE PRINCE... EUH... CELUI QUI VIT DANS UNE BULLE D'EAU, LÀ...

LADHAL.

ALORS, VOUS ÊTES L'EXPÉRIENCE DE TROY.

VOTRE NOM?

LANFEUST, M'DAME.

SNIF SNIF

VOUS AVEZ LA MOINDRE IDÉE DE CE QUE VOUS REPRÉSENTEZ, LANFEUST?

SAVEZ-VOUS SEULEMENT CE QUE VOUS ÊTES?

BEN, JUSTEMENT...

IL S'EST PASSÉ UNE CHOSE ÉTRANGE LORS DU CONTRÔLE GÉNÉTIQUE À L'ASTROPORT DE MEIRRION.

CETTE MIGNONNE FRIMOUSSE A ÉTÉ DÉCLARÉE DE RACE INCONNUE, N'EST-CE PAS?

EUH... OUI.

FAITES ATTENTION, MA FIANCÉE EST TRÈS JALOUSE.

MMMGGGNNNMMMHH!

HUM.

DÉSOLÉE, MA CHÈRE, JE VÉRIFIAIS JUSTE QUE LA RACINE DE CETTE MÈCHE ÉTAIT NOIRE AUSSI...

VOUS AVEZ BIEN CHOISI VOTRE PARTENAIRE, MAIS IL RISQUE DE VOUS FAIRE MENER UNE VIE UN PEU... MOUVEMENTÉE...

...CAR CE GARÇON EST UN ÊTRE TRÈS DIFFÉRENT DES AUTRES. VOUS SAVEZ QU'IL EXISTE DANS CETTE GALAXIE UNE GRANDE CIVILISATION INTELLIGENTE QUE LES PRINCES MARCHANDS CONSIDÈRENT COMME UNE ENNEMIE...

LES DOLPHANTES?

OUI, LES DOLPHANTES...

...CE SONT EUX QUI VOUS ONT FABRIQUÉ, LANFEUST.

OUI, LUI OUVRIR LE VENTRE !

INSUFFISANT. UN PATHACELSE PEUT PRENDRE LA FORME DE N'IMPORTE QUELLE CRÉATURE VIVANTE EN IMITANT LE MOINDRE DE SES ORGANES INTERNES. IL SAIT TRANSFORMER CHACUNE DE SES CELLULES !...

...PAR CONTRE, IL NE PEUT MAINTENIR SA STABILITÉ LORSQU'IL EST EN PRÉSENCE D'UNE BACTÉRIE, LA GAWLAX, QUE L'ON NE TROUVE QUE SUR SON MONDE NATAL ...

...C'EST UN VOYAGE VERS UN SECTEUR DANGEREUX, SEUL UN HOMME DOUÉ DE VOS POUVOIRS A UNE CHANCE.

AH ?

RAMENEZ-NOUS CETTE BACTÉRIE, LANFEUST.

LE DESTIN DE L'UNIVERS DÉPEND DE VOUS.

JE N'AI PLUS DE POUVOIRS !

DHELLUS M'A BLOQUÉ AVEC UNE CAVE DYNAMIQUE !

UNE CRYPTE TONIQUE !

ÇA, JE PEUX M'EN OCCUPER. SUIVEZ-MOI.

ET C'EST REPARTI !

YOUPIIII !

HOK! HOK!

LORSQUE LES PORTES EN ORBITE DANS L'ESPACE SONT ACTIVÉES À PLEINE PUISSANCE, ELLES PEUVENT CRACHER PLUSIEURS CENTAINES DE VAISSEAUX EN QUELQUES MINUTES ...

HÉ HÉ! CETTE FLOTTE BIEN EN RANG !... ÇA ME RAPPELLE LORSQUE J'AI PRIS ECKMÜL !

MES TROUPES SONT ENTRÉES DANS LA VILLE COMME UN TROLL DANS UNE PUCELLE. ÇA A ÉTÉ UN CARNAGE FORMIDABLE.

JE N'EN DOUTE PAS.

LE SANG T'EXCITE VRAIMENT, HEIN, THANOS ?

CELUI DES AUTRES PLUS QUE LE MIEN...

...TU ME MONTRERAS LE TIEN, UN JOUR.

SI T'ES SAGE, CHIEN-CHIEN.

ON ARRIVE EN ORBITE DE LARGAGE.

IMPOSSIBLE DE FAIRE DESCENDRE LE VAISSEAU PLUS BAS, LES CIRCUITS ÉLECTRIQUES S'ARRÊTERAIENT.

ON ACCÉLÈRE! SAUT DANS ONZE SECONDES!

GO!

GRÂCE À L'OEIL QUE JE T'AI OFFERT, JE NE TE QUITTE PAS, THANOS!

GO! GO! GO! GO! GO! GO! GO! GO! GO! GO! GO! GO! GO!

SEULS LES PRINCES MARCHANDS SAVENT SUR QUELLE CIRCONVOLUTION CÉRÉBRALE AGIT LA CRYPTE TONIQUE. JE DOIS DONC VOUS OPÉRER MOI-MÊME.

VOUS ALLEZ VRAIMENT M'OUVRIR LE CRÂNE?

ON NE PEUT PAS FAIRE AUTREMENT POUR ALLER TRIFOUILLER DANS LE CERVEAU.

FAITES MONTER LA VAPEUR!

L'ENNUI, C'EST QUE NOUS ALLONS CAUSER DES DOMMAGES IRRÉPARABLES AVEC NOS MOYENS RUDIMENTAIRES.

QUOI?!?

C'EST LÀ QUE C'EST DÉLICAT: DÈS QUE LA CRYPTE TONIQUE EST DÉBRANCHÉE, VOUS AVEZ QUELQUES SECONDES POUR USER DE VOTRE MAGIE AFIN DE VOUS GUÉRIR.

EN GROS, ON OUVRE, C'EST À VOUS DE VOUS REFERMER TOUT SEUL.

VRZZZ...

VOUS... NE LUI DONNEZ RIEN POUR L'ANESTHÉSIER?

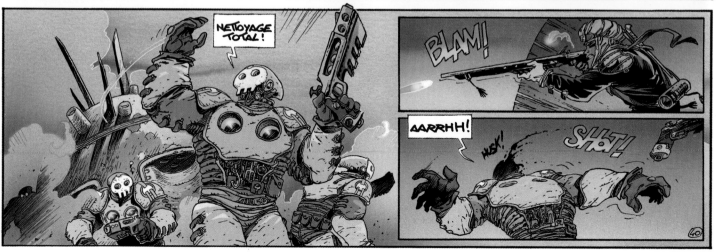

C'EST LÀ!

KLT

ATTENTION!

JE SÉLECTIONNE CETTE BRIDE...

GOTTFERDOM...

ON A BEAU S'Y ATTENDRE, ÇA SURPREND.

PLOP!

ON A ÉTÉ TRAHIS! DEHORS! DES CENTAINES DE SOLDATS TOMBENT DU CIEL!

?!

?

!

TU SAIS TE BATTRE SANS TES JOUJOUX À RAYONS?

POUDRE ET PLOMB, C'EST BIEN AUSSI.

SHARK!

HÉ!..

BLAM BLAM!!

SHOT!

BLAM

ILS ARRIVENT AU NIVEAU DU CANYON! ACTIONNEZ LE PIÈGE!

BROWNGOOONG

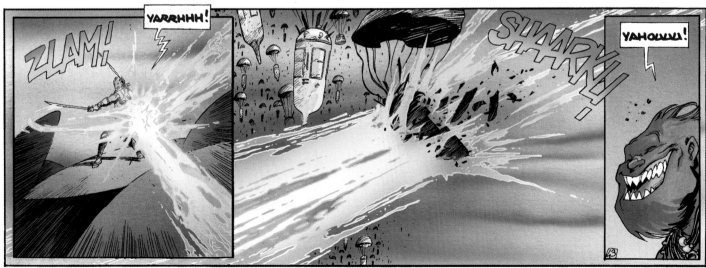

LA CRYPTE TONIQUE, THANOS...

JE SAIS L'ACTIVER, MAINTENANT!

MAIS... ...JE N'AI PLUS DE MAGIE! FAIS QUELQUE CHOSE!

QU'EST-CE QUI SE PASSE?!? JE NE VOIS PLUS RIEN!

FAIRE QUELQUE CHOSE? OUI...

...JE REPRENDS LE COMMANDEMENT!

REPLIEZ-VOUS SUR DES BASES SÛRES!

NOUS ATTENDRONS D'ÊTRE ASSEZ NOMBREUX POUR L'ASSAUT!

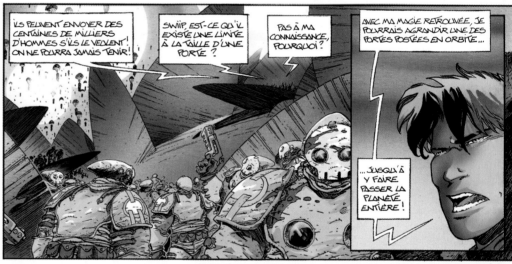

ILS PEUVENT ENVOYER DES CENTAINES DE MILLIERS D'HOMMES S'ILS LE VEULENT! ON NE POURRA JAMAIS TENIR!

SWIIP, EST-CE QU'IL EXISTE UNE LIMITE À LA TAILLE D'UNE PORTE?

PAS À MA CONNAISSANCE, POURQUOI?

AVEC MA MAGIE RETROUVÉE, JE POURRAIS AGRANDIR UNE DES PORTES POSTÉES EN ORBITE...

...JUSQU'À Y FAIRE PASSER LA PLANÈTE ENTIÈRE!

C'EST... INSENSÉ!

EN THÉORIE, RIEN NE S'Y OPPOSE.

J'ESPÈRE QUE CETTE OPÉRATION AU CERVEAU NE T'A PAS RENDU INTELLIGENT!

JE N'AIME PAS TROP ÇA, MOI...

LA PORTE! JE LA TIENS!

IL NOUS FAUT PILE-POIL LA BONNE TAILLE...

EYH, ÇA ME PREND UNE SACRÉE ÉNERGIE!

C'EST QUOI, ÇA ?!?

DES ENNUIS! TROUVEZ DES ABRIS!

COMMENT SAVOIR OÙ LA PORTE VA NOUS ENVOYER?

IMPOSSIBLE À PRÉVOIR!

POUR FAIRE PASSER UN VAISSEAU, LES CALCULS SONT DÉJÀ COMPLEXES: PLUS LA MASSE EST IMPORTANTE, PLUS L'ESPACE EST DÉFORMÉ...

...ALORS, UNE PLANÈTE! C'EST LOURD! ON PEUT ÊTRE PROJETÉS N'IMPORTE OÙ!

TOUS LES INSTRUMENTS DE BORD S'AFFOLENT, COMMANDANT...

C'EST INCROYABLE! DEZLINGE DISPARAÎT LÀ-DEDANS!

JE ME SENS COMME UN LEVIER SUR LEQUEL TOUT LE POIDS DU MONDE APPLIERAIT...

MOI, C'EST PAREIL QUAND J'AI DE L'AÉRO-PHAGIE.

VRRRRUUUUSSHHCCKKRRAAAAAASHH...//.//

ATTENTION!! PRÉPAREZ-VOUS AU PASSAGE!

TU SAIS CE QUE TU FAIS, HEIN, LANFEUST?

BEN, EUH... COMME D'HAB', QUOI...

OOHHH!

EEYYYHHH!

GOTFERDOM!